Delphine Bournay

Chrupek i Miętus
wrażliwcy

tłumaczenie
Jadwiga Jędryas

Wydawnictwo Dwie Siostry
Warszawa 2013

Tytuł oryginału:
Grignotin et Mentalo
Tekst i ilustracje: Delphine Bournay
© 2006 L'école des loisirs, Paris

www.wydawnictwodwiesiostry.pl

Wydanie I
ISBN 978-83-63696-48-1

Redakcja: Magdalena Cicha
Korekta: Maciej Byliniak
Druk: Edica Sp. z o.o.

Z podziękowaniami dla Lisy Mandel, pani Morali i Marie Favereau

Dla Claudine, Pierré'a, Christine,
Cécile, Elsy, Maximé'a i Thomasa

Spis treści

Ciemność

Pewnej nocy dziwne odgłosy wyrywają Chrupka ze snu. Zdaje mu się, że coś się rusza w ciemności. Chowa głowę pod kołdrę, ale to nie pomaga. Boi się nawet oddychać.

Ojej, chyba umrę ze strachu!

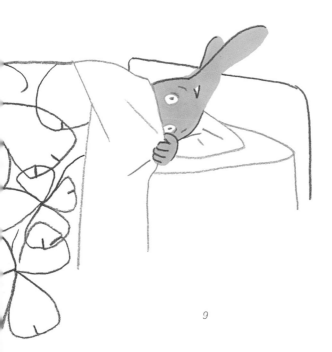

Nagle słyszy trzask tuż koło ucha.

Miętusie, ratunku!
Pomocy!

Przebudzony krzykami przyjaciela
Miętus przybiega w kilka minut.

Chrupku!

To ja, Miętus!
Twój kochany przyjaciel! Gdzie jesteś?

– Tutaj! –

Chrupek nie może wyjść z łóżka.

Tu, Miętusie!
Błagam,
zapal lampę!

Miętus wbiega do pokoju.

No nie! Co tu się dzieje?
Wyłaź spod tej kołdry!

Och, Miętusie!
To było okropne!
Tak bardzo się
przestraszyłem!

Słyszałem jakieś
odgłosy i wszystko
było takie czarne!

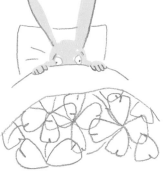

Uspokój się,
Chrupku!
Nic złego się
nie dzieje.

Mam pomysł!
Pomalujemy sobie,
to się uspokoisz!

Co ty na to?

O, tak!

Miętus zapala światło w całym domu,
zaparza herbatę i podaje ciasteczka.
Potem przyjaciele przygotowują
wszystko, co potrzebne do malowania:

farby, pędzle, szmatkę, trochę wody
i dwa arkusze papieru.

*Hm, co by tu
namalować?*

*Najlepiej,
jak namalujesz
coś specjalnie
dla mnie...*

...a ja coś specjalnie dla ciebie!

Dobrze!

Chrupek maluje szeroką niebieską
linię, ryby, piratów i wodorosty.
Od czasu do czasu rzuca okiem na
przyjaciela.

No i proszę!
Skończyłem!
   A ty, Miętusie?

Jeszcze nie całkiem.

A co malujesz?

To niespodzianka!

Kilka minut później malunki są
gotowe. Chrupek wręcza przyjacielowi
morze – Miętus jest zachwycony.
Potem Miętus pokazuje swoje dzieło.
Całą kartkę papieru pokrywa czarna
farba.

O! Co to jest?   To noc!

Faktycznie!
Bardzo podobna!

I wcale się jej
nie boję!

Dziękuję,
Miętusie!

Bardzo proszę!
Cała przyjemność
po mojej stronie!

Aaa...! Zrobiłem się trochę śpiący!

Do jutra, Chrupku!

Do jutra!

Kiedy Miętus wychodzi, Chrupek
zawiesza „Noc" na ścianie naprzeciwko
swojego łóżka, a potem układa się
do snu. Gdy gasi światło, patrzy na
obrazek.

Dobranoc,
noc!

Po czym zasypia i śpi spokojnie aż
do rana.

Wieczór poetycki

Pewnego słonecznego czerwcowego dnia Chrupek i Miętus wybierają się na spacer. Mijają piękne pola zbóż.

Chrupku!
Popatrz, jak zboże
tańczy z wiatrem!
Wirują jak w tangu!

Ach, jak ty to ładnie
powiedziałeś, Miętusie.
Prawdziwy z ciebie poeta!

Naprawdę
tak myślisz?

Jak najbardziej!

Nigdy nie słyszałem
nic równie pięknego.

A może byś napisał
parę wierszy i przeczytał
je mieszkańcom lasu
dziś wieczorem?

Jak chcesz, mogę się
zająć przygotowaniem
spotkania!

Och! Chcesz powiedzieć,
że urządzisz mi wieczór
poetycki?

Myślisz, że się
do tego nadaję?

Oczywiście,
że tak, Miętusie!
Bez dwóch zdań!

Idź poszukać natchnienia
w naszym cudownym
lesie, a jak wrócisz,
przeczytasz nam
swoje wiersze.

Dobra!
Spróbuję!

Miętus się oddala i wkrótce znika pomiędzy dębami. Kiedy jest już tak daleko, że na pewno nikt mu nie przeszkodzi, siada na miękkim mchu.

Oto tytuł mojego pierwszego wiersza!

Zapisuje w zeszycie tytuł „Miękki mech" i podkreśla go piórem. Ale kiedy zbliża nos do bohatera swojego wiersza, zauważa rodzinę granatowych chrabąszczy.

Te stworzenia są
po prostu przecudne!

Skreśla „Miękki mech" i wpisuje u góry „Granatowe chrabąszcze".

Zaczyna szukać słów, by dokładnie
opisać granatowe chrabąszcze, gdy
nagle przysiada mu na nosie wielki
żółty motyl.

Jaki ten motyl ma wdzięk!

Skreśla „Granatowe chrabąszcze"
i pisze „Żółty motyl".

Przez cały dzień Miętus nie ułożył
ani jednego wiersza, ale za to
zobaczył mnóstwo niesamowitych
rzeczy.

Wymyślił też 57 różnych tytułów.
Z niektórych jest szczególnie dumny:

Kasztanowy nagi ślimak

Gładki kawałek żywicy

Kupa dzika

Ale wiersza żadnego nie ma. Martwi się, co wygłosi na wieczorze poetyckim.

Na szczęście publiczność nie bardzo
dopisuje. Przychodzi tylko jedna osoba –
Chrupek. Miętus wchodzi na scenę,
a Chrupek głośno go oklaskuje.

Drogi przyjacielu!
Dziękuję za przybycie...!

WIELKIE WYDARZENIE
WIECZÓR POETYCKI MIĘTUSA
WITAMY LICZNIE PRZYBYŁYCH!

Niestety nie udało mi się napisać ani jednego wiersza... Nigdy nie będę poetą!

Publiczność jest bardzo rozczarowana.

Och! Ale dlaczego?

Bo w tym lesie jest o wiele za dużo różnych rzeczy!

Nie wiadomo, na co patrzeć!
Chodź, pokażę ci!

Dwaj przyjaciele wymykają się razem
z wieczoru poetyckiego i trzymając
się za ręce, ruszają w las przy świetle
księżyca. Dokoła unosi się piękny
zapach paproci. Chrupek i Miętus
siadają na miękkim mchu i razem
przyglądają się owadom.

To najpiękniejszy wieczór poetycki,
w jakim brałem udział!

Naprawdę?

Naprawdę! Miętusie,
ty jednak jesteś wielkim
artystą!

Kapelusz

Pewnego dnia, przechadzając się po lesie, Miętus zauważa z daleka jakąś cudaczną postać. Podchodzi bliżej.

*Patrzcie państwo!
Czyżby to był mój przyjaciel
Chrupek, w czymś bardzo
dziwnym na głowie?!*

Podchodzi jeszcze bliżej. To chyba
Chrupek. Na głowie ma bardzo
osobliwy zielony kapelusz
z gigantycznymi plastikowymi
ananasami i gruszką w otoczeniu
trzech bananów.

Cześć, Chrupku!
Jaki ładny kapelusz
dziś włożyłeś.

Bardzo oryginalny!

Wcale nie jest
oryginalny!

*Chrupku, coś nie
w porządku? Co się stało?*

Chrupek nie podnosi wzroku, tylko
nagle na ziemię spada mu jedna łezka.

*Och, Chrupku, co się dzieje?
Opowiedz mi wszystko.*

No dobrze. Dzisiaj
rano zobaczyłem
u jednym sklepie ładną
niebieską czapeczkę.

Więc wszedłem
i pokazałem ją
sprzedawczyni.

Ale ona poradziła,
żebym wziął ten
okropny kapelusz
w sałatkę owocową.

Wsadziła mi go na głowę
i powiedziała, że ładnie
w nim wyglądam.

A ja przecież chciałem czapeczkę!

No to dlaczego nic nie powiedziałeś?

Próbowałem!
Ale potem
pomyślałem sobie,
że może ona
ma rację.

Hm,
rozumiem.

Brak ci pewności siebie.
Trzeba coś z tym zrobić!

Miętus bierze Chrupka za rękę
i zdecydowanym krokiem rusza
z nim przed siebie.

Ćwiczenie numer 1:
Stanowczo wyrażać
swoje zdanie.

Będziesz bardzo głośno
powtarzać za mną wszystko,
co powiem. Zgoda?

Zgoda!

Widzisz
ten biały
kamyk?

Tak.

KAMYKU!

Kamyku?

*Głośniej, Chrupku.
Nie słyszę cię!*

KAMYKU?

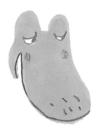

*Bardzo dobrze.
Idźmy dalej!*

KAMYKU!
SIEDŹ CICHO!

KAMYKU!
SIEDŹ CICHO!

Brawo, Chrupku.
Widzisz, jak ten kamyk
cię słucha?

Teraz chodźmy
do mchu!

MCHU!
BĄDŹ MIĘCIUTKI!

MCHU!
BĄDŹ MIĘCIUTKI!

O, Miętusie!
Jak dobrze sobie
tak pokrzyczeć!

Chrupek ani myśli przestać.

CHMURO!
POSPIESZ SIĘ!

Chrupek biegnie na łąkę. Miętus aż
się zasapał – jego przyjaciel jest taki
szybki.

PŁOCIE!
NIE GARB SIĘ!

WIETRZE!
UCISZ SIĘ!

ŚLIMAKU!
PRZESUŃ SIĘ!

MIĘTUSIE!
IDŹ MI WYMIENIĆ
KAPELUSZ!

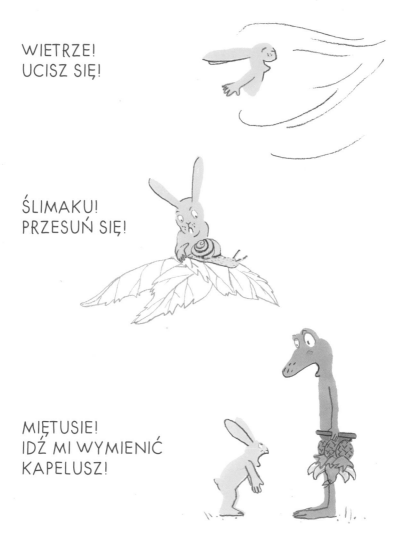

Miętus jest w szoku.

Chrupku!
Nie możesz mówić do mnie
takim tonem.

Jestem przecież
twoim przyjacielem!

SKORO JESTEŚ MOIM
PRZYJACIELEM, TO
DLACZEGO MNIE NIE
SŁUCHASZ?

BO NA MNIE WRZESZCZYSZ!

I NIE ZAMIERZAM
TEGO ZNOSIĆ
ANI MINUTY DŁUŻEJ!

Miętus robi w tył zwrot i zostawia
Chrupka na środku drogi.

*Nie wrzeszczę
na ciebie!*

*Tylko stanowczo
wyrażam swoje
zdanie...*

Chrupek patrzy, jak jego przyjaciel
odchodzi. Nagle czuje się strasznie
samotny. Łzy napływają mu do oczu.

Miętusie! Miętusieee!

*Nie zostawiaj
mnie!*

*Straciłem
głowę!*

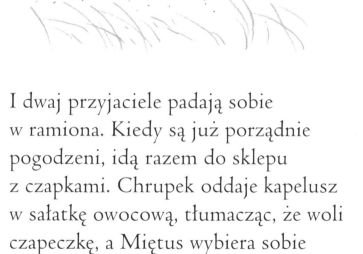

Przepraszam, Chrupku! Mnie też poniosło!

Poniosło mnie!

I dwaj przyjaciele padają sobie
w ramiona. Kiedy są już porządnie
pogodzeni, idą razem do sklepu
z czapkami. Chrupek oddaje kapelusz
w sałatkę owocową, tłumacząc, że woli
czapeczkę, a Miętus wybiera sobie
kapelusz kowbojski.

Wracają do domu, trzymając się za ręce.

Oï, je!

Księżyc

Pewnego wrześniowego wieczoru
Chrupek i Miętus spacerują,
podziwiając księżyc w pełni.

Miętusie?
Czy ty mnie
kochasz?

No pewnie,
że cię kocham!

Ach, patrz
na ten księżyc,
jaki on piękny!

Ale kochasz
mnie jak?

Trochę?

Czy może
bardziej?

Prawie
jakby się nam
przyglądał!

Kto taki?

No księżyc!

Niby kto inny
miałby spacerować
po lesie o tej porze?

A, tak.
Prawie jakby się nam
przyglądał... No to jak
mnie kochasz?

Przyjrzyj się tylko tym
plamkom na jego twarzy!
Wygląda prawie jak ja!

A jaka okrąglutka tarcza!
Czy widziałeś kiedyś równie
idealny okrąg?

Usiądźmy na chwilę
u tej cudnej poświacie księżyca!

O, nie!
Mam tego
dość!

Zimno mi
u kolana
i cieknie mi
z nosa!

Spokojnie.
Nie ma co się
tak wściekać!

NIE WŚCIEKAM SIĘ!
TYLKO WYJAŚNIAM!

WIDZISZ, JAK SIĘ
WŚCIEKASZ?!

Chrupek patrzy na przyjaciela,
a jego oczy napełniają się łzami.

O, nie,
Chrupku!
Tylko nie płacz, co?

Właśnie że będę
płakał!

Zresztą, co to
za różnica, skoro
i tak masz mnie
w nosie!

Tylko księżyc
cię interesuje!

Och, Chrupku!

Nie chciałem
ci zrobić
przykrości! Jesteś
moim najlepszym
przyjacielem!

Którego kocham
najbardziej na świecie!

Najbardziej
na świecie?

Najbardziej
na świecie!

A księżyc?

Co: księżyc?

No, czy nie kochasz
księżyca bardziej
niż mnie?

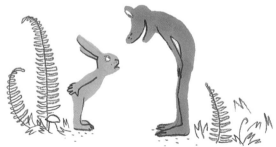

Oczywiście,
że nie!
Księżyc...

Popatrz no,
jak on głupio
wygląda!

Zupełnie jak
camembert!

Jak camembert?
Faktycznie!

A to wymyśliłeś,
Miętusie! Masz rację!

Camembert!

Dwaj przyjaciele się przytulają.

To co teraz
robimy?

Może chodźmy dalej, co?

Dobrze,
Miętusie!

Chodźmy! Skoro mnie kochasz –
wszystko będzie dobrze!

Polecamy również:

Delphine Bournay

Chrupek i Miętus

dzikie zwierzęta

Wydawnictwo Dwie Siostry